KB178087

생명나무 향기 3

생명나무 향기 3

발　행 | 2023년 9월 25일
저　자 | 양대열
펴낸이 | 한건희
펴낸곳 | 주식회사 부크크
출판사등록 | 2014.07.15.(제2014-16호)
주　소 | 서울특별시 금천구 가산디지털1로 119 SK트윈타워 A동 305호
전　화 | 1670-8316
이메일 | info@bookk.co.kr

ISBN | 979-11-410-4575-3

www.bookk.co.kr

생명나무향기 3

양 대 열 지음

목 차

새 노래를 주셔서 노래하며 생명을 나누고
아버지의 마음을 나누게 하신
생명의 주님을 찬양합니다.

성경 말씀으로 머리말을 대신하고자 합니다.

오직 주님께 영광~!!

여호와는 나의 능력과 찬송이시요 또 나의 구원이 되셨도다 (시 118:14)

하나님이여 내 마음이 확정되었고 내 마음이 확정되었사오니 내가 노래하고 내가 찬송하리이다 (시 57:7)

할렐루야 우리 하나님을 찬양하는 일이 선함이여 찬송하는 일이 아름답고 마땅하도다 (시 147:1)

주여 내 입술을 열어 주소서 내 입이 주를 찬송하여 전파하리이다 (시 51:15)

새 노래 곧 우리 하나님께 올릴 찬송을 내 입에 두셨으니 많은 사람이 보고 두려워하여 여호와를 의지하리로다 (시 40:3)

큰 회중 가운데에서 나의 찬송은 주께로부터 온 것이니 주를 경외하는 자 앞에서 나의 서원을 갚으리이다 (시 22:25)

할렐루야 새 노래로 여호와께 노래하며 성도의 모임 가운데에서 찬양할지어다 (시 149:1)

내가 평생토록 여호와께 노래하며 내가 살아 있는 동안 내 하나님을 찬양하리로다 (시 104:33)

새 노래로 여호와께 찬송하라 그는 기이한 일을 행하사 그의 오른손과 거룩한 팔로 자기를 위하여 구원을 베푸셨음이로다 (시 98:1)

하나님은 온 땅의 왕이심이라 지혜의 시로 찬송할지어다 (시 47:7)
시를 읊으며 소고를 치고 아름다운 수금에 비파를 아우를지어다 (시 81:2)
주를 찬송함과 주께 영광 돌림이 종일토록 내 입에 가득하리이다 (시 71:8)
내가 여호와의 인자하심을 영원히 노래하며 주의 성실하심을 내 입으로 대대에 알게 하리이다 (시 89:1)
새 노래로 여호와께 노래하라 온 땅이여 여호와께 노래할지어다 여호와께 노래하여 그의 이름을 송축하며 그의 구원을 날마다 전파할지어다 (시 96:1-2)
항해하는 자들과 바다 가운데의 만물과 섬들과 거기에 사는 사람들아 여호와께 새 노래로 노래하며 땅 끝에서부터 찬송하라 (사 42:10)
시와 찬송과 신령한 노래들로 서로 화답하며 너희의 마음으로 주께 노래하며 찬송하며 (엡 5:19)
그들이 보좌 앞과 네 생물과 장로들 앞에서 새 노래를 부르니 땅에서 속량함을 받은 십사만 사천 밖에는 능히 이 노래를 배울 자가 없더라 (계 14:3)

101. 영 안에서 자유

움직임이 있는 곳에
자유함이 있네

움직임이 있는 곳에
해방이 있네

일어서라 자유하게
눈을 감고 자유하게

바라보라 자유하게
입을 열라 자유하게

이리저리 빙그르르
나의 손을 잡고

짝짝짝짝 팔락팔락
장단에 맞추어

하하호호 하하호호
리듬에 맞추어

으아으아 우아우아
울림에 맞추어

나의 영이 있는 곳에
자유함이 있네

102. 온전한 순종

반쪽짜리 순종은
사람의 생각

온전한 순종은
온전한 믿음

반쪽짜리 순종은
사람의 일을 이루리

온전한 순종은
하늘의 일을 이루리

순종함에 깨어지리
순종함에 부서지리

순종함에 충만하리
순종함에 완성되리

나의 영이 있는 곳에
순종함이 있네

순종함을 통해
나의 일이 성취되리

순종함을 통해
나의 말이 성취되리

나의 영을 통해
나의 일이 성취되리

나의 영을 통해
나의 말이 성취되리

순종함에
자유함이 있으리

103. 사랑의 동행

바라보기만 해도 좋네
눈만 마주쳐도 좋네

옷깃만 스쳐도 좋네
손길만 느껴도 좋네

숨결만 느껴도 좋네
이름만 불러도 좋네

함께 걷기만 해도 좋네
함께 있기만 해도 좋네

동행함이 기쁨이네
동행함이 행복이네
동행함이 사랑이네

104. 감사하라

감사를 찾아라
감사를 보아라

감사를 고백하라
감사를 찬양하라

감사는 기쁨의 시작
감사는 기쁨의 증폭제

감사를 입에 달고
감사를 손에 달라

감사는 사랑의 시작
감사는 사랑의 증폭제

감사를 귀에 달고
감사를 발에 달라

감사하라 모든 것에
감사하라 모든 이에

감사하라 너의 주께

105. 생명의 식탁

고등어를 줄까?
꽁치를 줄까?

밥을 먹겠니?
국을 먹겠니?

식사 시간 되었으니
식탁으로 나아오라

너를 위해 준비한 것
수천 가지 수만 가지

무엇부터 먹고 싶니?
말만해라 차려줄게

맘껏 먹어라
양껏 먹어라

물 마시며 먹어라
고생했다 수고했다

맘껏 먹어라
양껏 먹어라

체할라
천천히 먹어라

맘껏 먹어라
양껏 먹어라

106. 정답은 예수

사칙연산 하지마라
정답이 없으니

계산기를 내려놔라
정답이 없으니

생각을 하지마라
정답이 아니니

믿음이 정답
순종이 정답
사랑이 정답

정답은 하나
진리는 하나

그의 이름 예수

107. 성전 건축

으샤으샤 영차영차

나팔소리 들리는가!
망치소리 들리는가!

성전건축 시작되니
나팔소리 우렁차네

성전건축 시작되니
망치소리 요란하네

결제를 기다리네

결제되면 일사천리
늦어지면 만고강산

일꾼들이 놀고 있네
일꾼들이 잠을 자네

어서 빨리 결제하라
일꾼들을 깨우어라

서둘러서 결제하라
일꾼들을 독촉하라

세세하게 결제하라
하나하나 인을 치라

일꾼들의 발걸음
일꾼들의 손놀림

시작 되면 끝이 되리
성전건축 완공되리

108. 생명의 시작과 끝

강하거나 약하거나
물러나지 않네

크거나 작거나
돌아서지 않네

문으로 들어와서
문으로 나가리

달려가리 걸어가리
멈춰지지 않네

도전하라 도약하라
생명 위해 영광 위해

준비하라 검을 들라
잔치 위해 승리 위해

일보일보 전진하여
고지를 점령하리

일파만파 퍼져나가
열방이 찾게 되리

한 마음 만이 되고
한 뜻이 천이 되어

부르면 듣게 되리
외치면 전파되리

시작과 함께
끝이 되리

영원과 함께
시작이 되리

109. 비를 품은 구름

솜사탕은 달콤하나
먹고 나면 끝이 되리

뜬구름은 높이 뜨나
바람 불면 날아가리

폭포수는 한 자리에
끊임없이 떨어지네

비를 품은 저 구름은
끊임없이 커져가네

뿌리고 또 뿌리면
커지고 더 커지리

도랑 되어 흐르리
강이 되어 흐르리
바다를 덮으리

110. 축복의 산

축복의 산아!
축복의 산아!

복이 울려 퍼지는
축복의 산아!

복의 보따리를 들고
복의 씨앗을 뿌려라

복의 씨앗 맘껏 뿌려
복의 씨앗 넓게 뿌려

물 주고 거름 주면
열매를 맺으리

영의 축복 물질 축복
사람 축복 건강 축복
행복의 열매들

주렁주렁 풍성하게
달고 달고 달리리

강이 되어 흐르리
산이 되어 쌓이리

축복의 산아!
축복의 산아!

복이 울려 퍼지는
축복의 산아!

내가 듣고 명하리
축복의 메아리

내가 듣고 행하리
축복의 선포

축복의 발길 되어
기쁨의 발길 되어
오늘도 달려가라

111. 영의 믿음

가르어라 가르어라
불신의 물 가르어라

뽑아라 뽑아라
불신잡초 뽑아라

베어라 베어라
불신가시 베어라

채우라 채우라
생명물로 채우라

태우라 태우라
성령불로 태우라

베어라 베어라
성령칼로 베어라

요행을 버리라
믿음을 가지라
믿음으로 순종하라

나는 말하고 이루리
너는 선포하고 기도하리

나는 듣고 행하리
너는 믿고 순종하리

사람믿음 혼의 믿음
세상이 움직이리

하늘믿음 영의 믿음
하늘이 움직이리

사람믿음 혼의 믿음
세상일을 이루리

하늘믿음 영의 믿음
하늘일을 이루리

112. 창조되는 삶

저 높이 솟은 산을 보라
네가 창조할 수 있나

푸르고 울창한 숲을 보라
네가 창조할 수 있나

저 넓은 바다를 보라
네가 창조할 수 있나

저 높은 하늘을 보라
네가 창조할 수 있나

지저귀는 새를 보라
네가 창조할 수 있나

줄줄 뛰는 개미 보라
네가 창조할 수 있나

높은 산과 울창한 숲도
높은 하늘 넓은 바다도

새와 개미까지도
내가 창조했나니

말하고 이루는 자
너를 창조했나니

이제 다시 시작하리
너의 삶도 창조하리

113. 영원한 집

산을 넘고 나면
또 산이 나오고

강을 건너고 나면
또 강이 나오네

산이 있다하여
넘지 아니하고

강이 있다하여
건너지 아니하면

언제나 그 자리
멈춰 서야하네

고비 고비 넘어가면
약속의 집 도착하리

한 강 한 강 건너가면
영원한 집 도착하리

쉬지 않고 달려가면
언젠가는 도착하리

114. 천지의 진동

곧 오리 곧 오리
그날이 곧 오리

영광의 빛 찬란한 빛
비추게 될 그날

곧 오리 곧 오리
그날이 곧 오리

생명의 빛 예수의 빛
드러내는 그날

곧 오리 곧 오리
그날이 곧 오리

열방에서 빛을 보고
모여드는 그날

영광의 빛 폭발되리
생명의 빛 폭발되리
예수의 빛 폭발되리

불씨가 점화되네
폭발이 시작되네
천지가 진동하리

115. 믿음의 선포

먼저 가려 하지마라
함께 감이 빠름이라

서두르려 하지마라
평안함이 빠름이라

생각 먼저 하지마라
말한 대로 이뤄지리

두려 말라 염려 말라
선포 대로 이뤄지리

불신 말라 불안 말라
기도 대로 이뤄지리

말한 대로 선포하라
믿음으로 선포하라

말한 대로 기도하라
믿음으로 기도하라

말하고 이루는 자
듣고 행하는 자
너의 아비 됨이라

116. 여섯 개의 별

여섯 개의 별
하늘에 떠야하네

여섯 개의 별
땅에도 떠야하네

여섯 개의 별
서로 다르네

여섯 개의 별
밝은 빛을 받네

여섯 개의 별
서로 빛을 비추네

여섯 개의 별
하나가 되네

여섯 개의 별
하루에 하나씩
육일이면 모두 뜨네

여섯 개의 별
밝은 빛이 되리

여섯 개의 별
큰 빛이 되리

117. 생명의 빛

빛을 보라
살게 되리라

빛을 따르라
생명을 얻게 되리라

빛은 어둠을 가르리
빛은 어둠을 밝히리

빛의 부재는 어둠
빛의 부족은 방황

빛의 충만은 지름길
빛의 풍성은 천국

빛을 누리라
천국이 되리라

빛을 비추라
길이 되리라

빛을 밝히라
생명이 풍성케 되리라

빛을 나누라
생명으로 하나 되리라

118. 믿음의 증폭

하늘문을 열라
하늘벽을 뚫라
하늘담을 헐라

하늘열쇠 주리
하늘드릴 주리
하늘해머 주리

물방울이 바위 뚫듯
돋보기가 종이 태우듯
레이저가 강철 자르듯

너의 마음 나의 마음
하나가 되고

너의 초점 나의 초점
만나게 되고

너의 믿음 나의 믿음
증폭이 되면

나의 말을 이루리
하늘 일을 이루리

119. 한 마음

밤하늘의 별을 따라
길을 걷던 자들

동이 트니 해가 뜨니
밝히 보게 되네

이정표를 따라 가네
지도를 보고 가네

밝히 보여 빠른 걸음
밝히 보여 안전하네

밝히 보여 자유하네
자유하나 분산되네

보이는 게 많아지네
마음이 흩어지네

한 곳을 바라보라
하나만 붙들라
한 마음 이루라

120. 동행하는 기도

삶이 기도 되게 하라
기도가 삶이 되게 하라

밤하늘의 별 속에서
나를 만나자

높은 하늘 구름에서
나를 만나자

산들산들 바람에서
나를 만나자

넓은 바다 물결에서
나를 만나자

향기 내는 꽃 속에서
나를 만나자

부모자식 얼굴에서
나를 만나자

형제자매 얼굴에서
나를 만나자

부부사이 얼굴에서
나를 만나자

걷는 것이 기도요
먹는 것이 기도요

자는 것이 기도요
삶이 곧 기도요

기도가 곧 삶이요
동행함이 기도라

121. 기다림의 이유

기다림이 아름다운 이유
열매를 바라볼 수 있기 때문

기다림이 기쁨 되는 이유
열매를 만들어가기 때문

기다림이 능력 되는 이유
열매를 만들어내기 때문

기다림이 꿈이 아닌 이유
열매를 보게 되기 때문

기다림이 아름다운 이유
나와 함께 하기 때문

기다림이 기쁨 되는 이유
나와 함께 하기 때문

기다림이 능력 되는 이유
나와 함께 하기 때문

기다림이 꿈이 아닌 이유
나와 함께 하기 때문

기다림을 감사하라
기다림이 축복이기 때문에
기다림이 동행이기 때문에

122. 승리의 전쟁

칼을 뽑으라
칼을 휘두르라

적장의 목을 베도록
힘차게 휘두르라

암탉이 알을 품듯
너를 안고 가리라

포성이 울리고
연기가 자욱한 전장

승리의 함성이 퍼지네
승리의 나팔이 울리네

123. 피를 다 쏟은 자

입성하라 입성하라
성을 향해 진격하라

성문을 활짝 열라
왕이 들어가신다

찬양하라 찬양하라
왕의 왕께 찬양하라

엎드리라 엎드리라
왕 앞에 엎드리라

굴복하라 굴복하라
예수 왕께 굴복하라

굴복된 자 살게 되리
굴복된 자 평화 하리

피를 다 쏟은 자여
평화를 공포하라

통치를 받는 자여
예수왕국 세워가라

124. 하나 되는 생명선

목적지가 정해진 배
행선지가 분명한 배

생명선이 출항하니
어서 빨리 타시오

선장되어 항해하니
지시대로 하시오

이제는 한 배에서
하나 되어 항해하니

돌아갈 수 없으리
내릴 수는 없으리

돌아서도 생명선
한 배에서 가고

내리려면 깊은 바다
깊고 깊어 빠져가리

목적지는 하나
함께 가야 하리

목적지는 하나
하나 돼야 하리

125. 순종과 동행

바치라 바치라
아들을 바치라

바치라 바치라
나에게 바치라

지어라 지어라
방주를 지어라

지어라 지어라
내 말 대로 지어라

나의 말에 순종한 자
나와 동행하였고

나의 말에 순종한 자
나의 일을 보았네

그들과 동행했던 자
지금 너와 동행하고

그들이 경험했던 자
지금 너도 경험하리

나의 말을 들으라
나의 말에 순종하라

126. 하나 된 걸음

거울에 비추어라
너의 모습 보여지리

거울을 들여보라
너의 얼굴 나타나리

거울 앞에 서서 보라
너의 얼굴 단장하라

창문 너머 나를 보라
너를 향해 기다리네

창문 너머 나를 보라
너의 눈과 마주치리

창문 너머 나를 보라
기쁨으로 마주보리

문을 열고 나아오라
손을 잡고 가자구나

문을 열고 맞이하라
기쁨으로 걸어가자

하나 되어 가는 걸음
발걸음도 가벼웁네

하나 되어 가는 걸음
간데족족 향기 나네

하나 되어 가는 걸음
주렁주렁 열매 맺네

127. 큰 울림

산에 올라 외치는 자
메아리가 대답하리

산에 올라 외치는 자
메아리를 듣게 되리

산에 올라 외치는 자
메아리가 응답하리

높이 올라 높이 올라
가까이로 나아오라

기도의 산 정상에는
큰 울림이 있으리라

정상에서 부르는 자
천지가 진동하리

정상에서 부르는 자
세상이 움직이리

정상에서 부르는 자
메아리가 퍼져가리

땅 끝까지 퍼져나가
큰 울림이 완성되리

128. 잔치의 때

한 나무에 달린 열매
한 가지에 달린 열매

큰 열매 달려 있고
작은 열매 달려 있네

예쁜 열매 달려 있고
미운 열매 달려 있네

상처 난 열매 달려 있고
썩은 열매 달려 있네

한 나무에 달려 있네
한 가지에 달려 있네

새가 와서 먹은 열매
바람 불어 떨어진 열매

장난꾸러기 어린 아이
따 먹은 풋열매

여름 지나 가을 되면
농부의 손 바빠지리

정성스레 하나하나
수확하여 나눠 주리

주는 자도 기쁨이요
받는 자도 기쁨이니

생명잔치 기쁨되리
천국잔치 행복되리

생명잔치 풍성하리
천국잔치 온전하리

129. 생명의 성장

장난감을 좋아하는
어린아이

장난감을 요구하는
어린아이

울고불고 때를 써서
장난감을 받아내네

아빠 손의 장난감이
어린아이 기쁨 되네

엄마 손의 장난감이
어린아이 기쁨 되네

하루 지나 멀어지네
한 주 지나 버려지네

또 다른 장난감을
요구하는 어린아이

장난감은 어린아이 것
때 지나면 버려지는 것

어느덧 성장하여
결혼할 때 다가오네

아버지와 대화함이
그의 마음 행복 주네

어머니와 수다함이
그의 마음 기쁨 주네

아버지와 함께함이
그의 마음 채워주네

어머니와 함께함이
그의 마음 평안 주네

그 무엇이 필요하리
함께함이 기쁨인데

그 무엇이 필요하리
동행함이 행복인데

그 시간이 부족하여
애타하는 마음일 뿐

그 시간이 부족하여
애가 타지 아니하냐?

130. 생명의 실재

보이는 모든 것이
사실이 아니리

보이는 모든 것이
전부는 아니리

알고 있는 모든 것이
진실은 아니리

알고 있는 모든 것이
전부는 아니리

보이는 모든 세계
진실이 아니리

보이는 모든 세계
전부는 아니리

광활한 대해 위를
외로이 항해하는 길

안개가 걷히면
모든 것이 보여지리

가다 보면 가다 보면
진실을 알게 되리

걷다 보면 걷다 보면
만나게 되리

진리는 오직 예수
실제는 영의 세계

모든 것이 되는 세계
실제를 움직여라

보이는 건 허상일 뿐
실제를 만나라

보이는 건 착각일 뿐
실제를 찾으라

모든 것이 보여지리
실제를 만나라

모든 것을 알게 되리
실제가 네가 되라

모든 것이 진실 되리

131. 선명한 사랑

자랑하지 말라
실망하지 말라

잘해도 나의 것
못해도 나의 것

네가 한다 하지마라
네가 했다 하지마라

할 수 없다 하지마라
못한다고 하지마라

길을 잃은 아이처럼
그 자리에 서 있으라

새끼 새가 입 벌리고
어미 새를 기다리듯

아이 찾아 뛰는 발길
입안 가득 먹이 품고

너를 향해 뛰는 발길
재촉하고 재촉하니

너를 위해 준비한 것
풍성하고 풍성하니

너만 홀로 있지 않네
너만 애타 하지 않네

만남 기쁨 동행 기쁨
알게 되리 보게 되리

한 발자욱 한 발자욱
설레임에 다가가니

어렴풋이 보여지네
아련하게 느껴지네

132. 지식과 생명

갈릴리 호숫가
어부들의 솜씨

그 누구도 알 수 없고
따라갈 수 없네

경험으로 쌓은 것
배움으로 쌓은 것

누구에게 지지 않는
그들만의 자부심

예수 만난 그날
모든 것이 무너지네

경험한 것 소용없네
배운 것이 소용없네

예수 말에 순종하라
나의 말을 따르라

자연법칙 무너지네
삶의 법칙 무너지네

말이 곧 생명이네
말이 곧 법칙이네

만든 이가 조정하니
그것이 정답 되네

133. 주의 이름 든 자

골리앗 앞에 선
물맷돌 든 다윗

창을 든 자 할 수 없네
칼을 든 자 할 수 없네

만군의 여호와
그의 이름으로

물맷돌을 든 자
다윗은 할 수 있네

칼을 내려 놓으라
창을 내려 놓으라

만군의 여호와
주의 이름 들라

골리앗이 쓰러지리
골리앗의 목을 베리

주의 이름 든 자
주의 일을 이루리

주의 이름 든 자
주의 이름 높이리

134. 변화된 세상 속에

생각이 생명 되기 전에
생각이 능력 되기 전에

생각이 올무 되기 전에
생각이 삶이 되기 전에

생각을 통제하라
생각을 다스려라

생각을 옮겨라
생각을 바꾸라

마음을 밝혀라
마음을 비추라

마음이 환하면
마음이 연결되리

마음이 밝으면
마음이 하나되리

마음이 마음을 밝히리
마음이 마음을 움직이리

마음이 움직이면
세상이 움직이리

마음이 변화되면
세상이 변화되리

변화된 세상 속에
성전이 세워지리

변화된 세상 속에
영광나라 세워지리

135. 성전으로 향하는 문

배고픔을 느끼는 자
먹을 것을 찾게 되리

배고픔을 아는 자
먹을 것을 먹게 되리

목마름을 느끼는 자
마실 것을 찾게 되리

목마름을 아는 자
마실 것을 먹게 되리

먹어도 먹어도
채워지지 않네

마셔도 마셔도
시원함이 없네

의에 주린 자
배고픔이 해소되리

의에 목마른 자
목마름이 해갈되리

채우고 채우면
채워주게 되리

채우고 채우면
채워주게 되리

나누고 나누면
풍성하게 되리

나누고 나누면
풍성하게 되리

채움의 끝은 나눔
나눔의 끝은 결실

생명된 자 생명으로
사랑된 자 사랑으로

성전으로 향하는 문
통하고 통하리

136. 성전 되는 길

은혜가 은혜 되는 길
감사가 감사 되는 길

용서가 용서 되는 길
사랑이 사랑 되는 길

예수의 은혜 받아
예수로 감사할 때

예수로 용서 받아
예수로 사랑할 때

예수의 향기 나네
예수의 길을 가네

예수의 길을 닦아
길과 길이 연결되네

예수의 길을 만들어
길과 길이 완성되네

길을 따라 가는 길
예수 따라 가는 길

예수 따라 가는 길
아버지께 가는 길

예수가 예수 되는 길
아버지가 아버지 되는 길

예수가 빛이 되는 길
아버지가 영광 받는 길

그 길은 동행하는 길
그 길은 성전 되는 길

137. 말씀의 무게

너의 몸은 깃털처럼
가볍게 가볍게

너의 맘은 솜털처럼
가볍게 가볍게

나의 말은 태산처럼
무겁게 무겁게

나의 명은 천근만근
무겁게 무겁게

일어나라 불길처럼
달려가라 바람처럼

타오르리 불길처럼
몰아치리 바람처럼

잡게 되리 불의 세력
파쇄하리 어둠 세력

순종하리 순종되리
성취하리 성취되리

138. 맨발의 순례자

맨발로 걸어가는
찬란한 고난길

맨발로 걸어가는
영광의 죽음길

한발만 헛디뎌도
가시로 찢겨지리

한발만 잘못 가도
온 몸이 찢겨지리

맨발로 걸어가는
끝없는 여정

언젠가 서게 되리
영광의 보좌

맨발로 서서 보면
영광이 비쳐오리

맨발로 달려가면
영화로 입혀주리

시온산 언덕 위
숨 고르고 다시 가네

갈 곳 알아 기쁨이네
갈 곳 있어 행복이네

다시 가면 알게 되리
또 다시 가야함을

그래도 알게 되리
종착점이 있음을

끝을 향해 걸어가는
맨발의 순례자여

139. 하늘의 기쁨

세상 일로 울지마라
세상 일로 웃지마라

너의 울음 나의 맘에
깊은 상처 안겨주리

너의 웃음 나의 맘에
깊은 상심 안겨주리

세상 사람 세상 일로
하늘 사람 하늘 일로

내가 없어 울부짖어
내가 더욱 애가 타네

나로 인해 기쁨 넘쳐
내가 더욱 흥이겹네

하늘 사람 하늘 일로
하늘 사람 하늘 일을

너로 인해 나의 기쁨
너로 인해 나의 영광

나만 너의 기쁨 되고
너만 나의 기쁨 되니

하늘 아래 홀로 남아
모든 것을 얻게 되니

하늘 아래 홀로 남아
하늘을 얻게 되니

기뻐하고 기뻐하리
기뻐하고 기뻐하리

140. 외줄 타는 장인

외줄 타는 장인들아
외줄 타는 장인들아

봉을 잡고 중심 잡아
앞만 보고 걸어가라

높이 있다 생각마라
멀리 있다 생각마라

남들 본다 생각마라
조소한다 생각마라

줄을 따라 걸어가라
앞만 보고 걸어가라

봉을 잡고 걸어가라
믿음으로 걸어가라

두려움에 떨지마라
갈 수 있다 걸어가라

떨어지지 아니한다
갈 수 있다 걸어가라

앉았다가 일어나도
갈 수 있다 걸어가라

모든 사람 가지 못해
가는 자가 영광 되네

힘들어도 외로워도
가는 자가 복 되도다

141. 순종의 길

그냥 된다 생각마라
말씀하니 된다마라

순종해야 이뤄진다
순종하면 성취 된다

할 수 없다 생각마라
말씀하니 이뤄진다

사람 생각 파버려라
말씀대로 성취된다

말씀 한번 성취되면
나를 한번 만나보고

말씀 한번 성취되면
믿음 한번 벌게 되고

말씀 한번 성취되면
성전 재료 깎여지니

하루하루 순종함이
하루하루 성전 되리

하루하루 순종함이
하루하루 만남 되리

하루하루 순종함이
하루하루 생명 되리

하루하루 순종함이
하루하루 천국 되리

142. 선장의 외침

선장 없는 배
목적지를 알 수 없네

흔들리는 배
목적지에 갈 수 없네

기울어진 배
곧 크게 넘어지리

구멍난 배
곧 깊이 빠져가리

내가 선장되어
목적지를 향해 가네

흔들리는 배
중심을 잡고 가리

기울어진 배
일으켜 세우리

구멍난 배
모두 찾아 막으리

나의 말을 따르라
순종하면 그리 되리

속도가 나기 전에
정비가 끝나리

거친 바다 헤쳐가리
넓은 바다 향해 가리

선원들아 힘을 내라
선원들아 서둘러라

저 멀리 보이는
저 멀리 들리는

파도에 쓸려가는
저들을 바라보라

깊은 바다 빠져가는
저들의 신음소리

어서 빨리 가자구나
저들 위해 가자구나

143. 선물을 주시는 분

선물에 눈이 먼
어리석은 자들

선물만 기뻐하는
어린 자들

선물에 목을 매는
철부지들

나의 마음 몰라주니
한숨뿐이네

내가 갈 때 선물 들고
내가 가면 선물 주리

나를 보고 기뻐하는
사랑스런 이들

나와 함께 하기를
소원하는 이들

나의 사랑 받기를
갈구하는 이들

나를 찾고 구하라
나를 부르고 만나라

내가 갈 때 챙겨가마
내가 가서 안겨주마

나에게 청해라
무엇을 원하느냐

나에게 말해라
소원이 무엇이냐

원하거든 기도해라
필요커든 기도해라

나에게 기도해라
기도하면 내가 주마

144. 기도가 삶이 되면

기도는 부르는 것
기도는 찾는 것

기도는 함께하는 것
기도는 소통하는 것

기도는 바라보는 것
기도는 사랑하는 것

기도는 믿음과 평강
기도는 창조와 실상

기도는 알파와 오메가

24시간의 기도
365일의 기도

내가 원하는 기도
나를 기쁘게 하는 기도

기도가 삶이 되면
삶이 기도가 되리

145. 정비되는 생명선

고치리라 고장난 곳
바꾸리라 썩어진 곳

태우리라 불필요한 곳
씻으리라 더러운 곳

칠하리라 기름으로
닦으리라 수건으로

조이리라 풀어진 곳
맞추리라 바뀌진 곳

털어내리 먼지를
쓸어내리 버릴 것을

하루 일을 마쳐놓고
땀을 닦고 물 마시니

시원하게 부는 바람
향기 날려 기분 좋네

146. 하루의 영광

창조의 아침
이글이글 타오르네

살랑살랑 바람 불어
마음까지 시원하네

높은 하늘 뭉게구름
뭉실뭉실 흘러가네

넓은 들에 꽃이 만발
파릇파릇 새싹 돋네

푸른 산에 수목들이
춤을 추며 노래하네

향기 찾아 나비들이
너풀너풀 날아오네

노래 듣고 산새들이
기쁨으로 화답하네

사자의 힘찬 외침
고요가 깨워지네

하루가 시작되니
하루가 새로워지리

하루가 시작되니
하루가 완성되리

하루가 완성되면
하루의 영광이

칠일이 완성되면
영광이 충만

만군의 여호와
이름의 위엄

나타나게 하여라
나타나게 되리라

147. 영광의 길

영광을 아느냐?
영광을 보느냐?

영광을 찾는 자
영광을 보게 되리

영광을 부르는 자
영광을 알게 되리

영광을 사랑하는 자
영광과 하나되리

영광과 하나된 자
영광을 살게 되리

영광을 사는 자
천국을 살게 되리

천국을 사는 자
영광이 되리

영광을 만나면
영광이 되리라

영광이 모이면
영원이 되리라

148. 빛을 가진 순례자

눈을 뜨고 보고 가라
귀를 열고 듣고 가라

소경된 자 갈 수 없고
귀머거리 갈 수 없네

들어도 갈 수 없고
보아도 갈 수 없네

천국으로 가는 길
성전으로 가는 길

누구나 가도 되나
누구나 갈 수 없네

좁은 길을 따라 가는
빛을 가진 순례자여

빛을 비춰 인도하리
빛을 주어 인도하리

천국됨이 성전됨이
나의 소망 너의 소망

성전 되어 살아감이
나의 기쁨 너의 기쁨

천국 되어 살아감이
나의 영광 너의 영광

천국으로 인도하는 문
성전으로 인도하는 문

닫을 수는 있어도
열 수는 없으리

149. 움직이는 시계

거꾸로 달리는 시계
앞으로 달리는 시계

거꾸로도 앞으로도
자유롭게 돌아가네

때와 시기 정해지나
때와 시기 움직이네

때를 당길 수도 있고
때를 밀 수도 있네

시기를 당길 수도 있고
시기를 밀 수도 있네

시계를 돌리는 이
나의 마음 감동되면

시계를 돌리는 이
나의 마음 움직이면

자유롭게 돌아가는 시계
때와 시기 바꾸리라

자유롭게 움직이는 시계
때와 시기 당기리라

나의 몫과 너의 몫
화합하게 되리라

150. 사랑의 오겹줄

아름다운 판단력
미운 눈을 가지리

예리한 통찰력
미운 눈을 만들리

예쁜 마음 가진 자
예쁜 눈을 가지리

예쁜 눈을 가진 자
예쁜 마음 만들리

마음으로 바라보라
마음으로 사랑하라

사랑으로 바라보라
겸손으로 사랑하라

겸손으로 바라보라
섬김으로 사랑하라

희생으로 사랑하라
나눔으로 사랑하라

사랑의 오겹줄
기도의 원동력

사랑의 오겹줄
전진의 추진력

사랑의 오겹줄
하나로 두르라